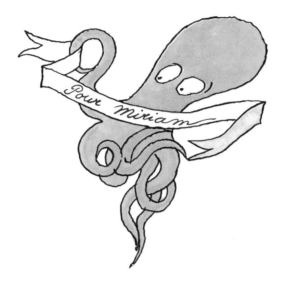

Traduit de l'anglais (États-Unis) par Adolphe Chagot
© 1978, l'école des loisirs, Paris, pour l'édition en langue française
© 1960, Tomi Ungerer
Titre de l'édition originale : « Emile » (Harper & Row, New York, 1960)
© 1973, Diogenes Verlag, Zürich (Tous droits réservés)
Loi numéro 49 956 du 16 juillet 1949 sur les publications
destinées à la jeunesse : avril 2010
Dépôt légal : avril 2010
Imprimé en France par Mame Imprimeurs à Tours
ISBN 978-2-211-20115-5

Tomi Ungerer

EMILE

l'école des loisirs
11, rue de Sèvres, Paris 6ᵉ

Le capitaine Samofar, scaphandrier célèbre,
se promenait un jour au fond de l'océan,
lorsqu'un requin féroce apparut soudain.

Le requin attaqua le capitaine Samofar.
Mais un poulpe du nom d'Émile le sauva
en lançant un roc dans la gueule ouverte du squale.

Après quoi, Émile ramena le plongeur à la surface.

Lorsque le capitaine Samofar revint à lui, il serra
avec reconnaissance la main de son sauveur.
Il l'invita à vivre avec lui.

Il installa Émile
dans une baignoire
pleine d'eau salée.

Le poulpe se révéla un musicien très doué
qui fit la joie de tous dans les réunions mondaines.

Mais Émile avait la nostalgie de l'océan.
Il s'engagea comme sauveteur.

Il apprenait à nager aux enfants.

Il veillait à leur sécurité.

Quand les gens s'aventuraient trop loin, c'était lui qui les sauvait. Quelquefois il en sauvait quatre à la fois.

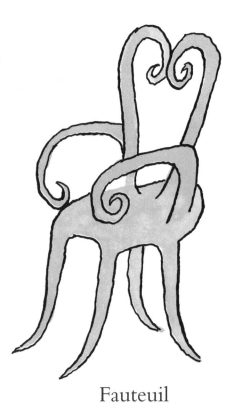

Sur la plage, il était très populaire.
Les gens adoraient le voir prendre
toutes sortes de formes.

Fauteuil

Traîneau

Voiture

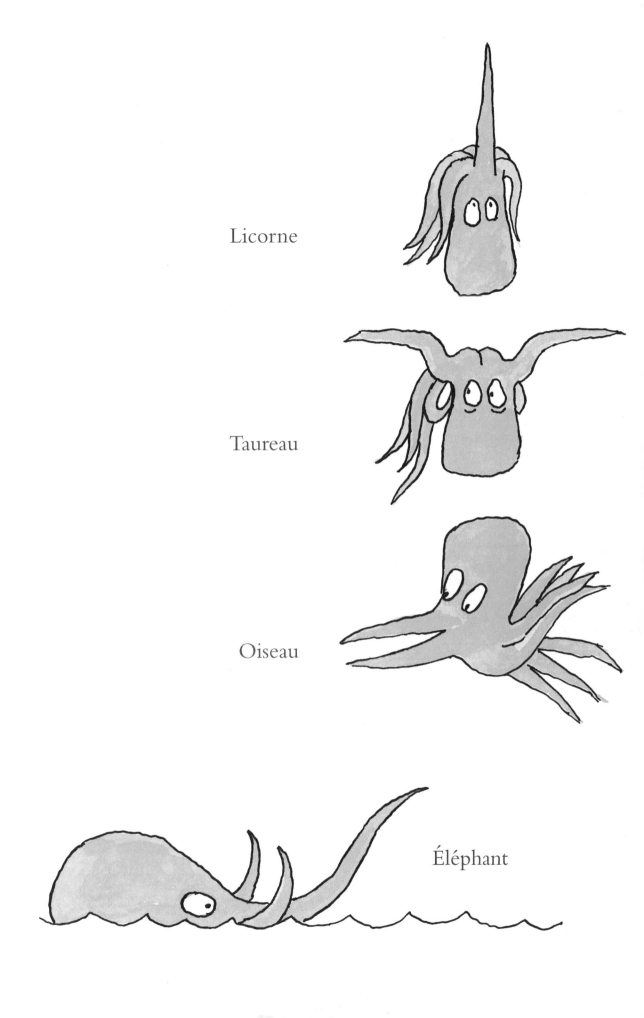

Licorne

Taureau

Oiseau

Éléphant

Le jour où il était de repos, Émile le passait dans la mer,
nageant le long de la vedette de la police sur laquelle
travaillait le capitaine Samofar.
Un après-midi ils stoppèrent un bateau qui semblait suspect.

Émile remarqua qu'il y avait des caisses cachées
dans un filet sous l'eau.

Il signala cette découverte à la police qui bondit
dans le bateau des contrebandiers.

Mais les bandits, pour éviter d'être arrêtés,
sautèrent dans le bateau de la police.

Ils prirent la fuite en tirant sur la police.

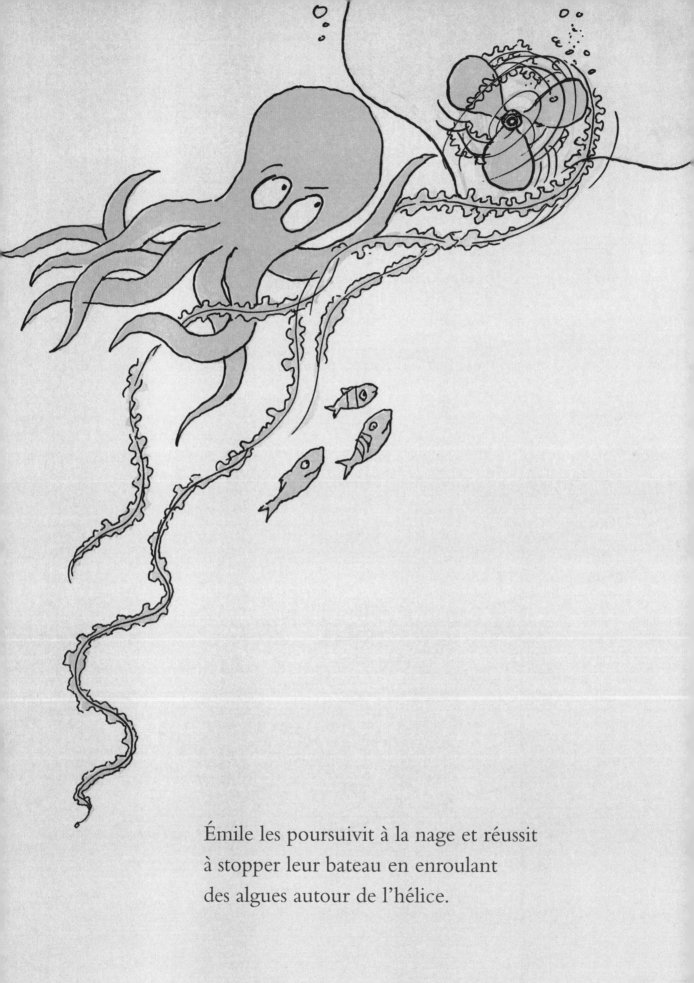

Émile les poursuivit à la nage et réussit
à stopper leur bateau en enroulant
des algues autour de l'hélice.

Émile attaqua les bandits et prit la mitrailleuse.

Il mit en joue les contrebandiers qui se rendirent.
Tenant quelques-uns des prisonniers dans quelques-uns
de ses bras, le brave poulpe ramena le bateau au port.

Pour célébrer son héroïsme, les policiers baptisèrent
leur nouveau bateau *Émile*.

Mais le poulpe avait la nostalgie de sa vie tranquille
dans la mer et voulait y retourner. Ses amis donnèrent
un grand dîner d'adieu en son honneur et lui firent
de nombreux cadeaux.

Chaque fois que le capitaine Samofar voulait revoir son vieil ami,
il mettait son scaphandre et descendait lui faire une petite visite.
Aucune mer n'était assez profonde pour empêcher le plongeur
et notre héros à huit pattes de se rejoindre.